Le Mont Saint-Michel

Jean-Paul Benoît
Photographies de Jean-Paul Gisserot

Le Mont Saint-Michel

Editions Jean-Paul Gisserot
www.editions-gisserot.com

La rencontre d'un site et d'un culte

Au début de notre ère la région qui s'étend entre le Cotentin et les hauteurs de Cancale était couverte d'une vaste forêt qui s'appelait la forêt de Scissy. Plusieurs fois déjà depuis la nuit des temps, la mer avait envahi ces terres, puis elle s'était retirée parfois très loin au cours des périodes de glaciation, l'érosion modelant sur des millions d'années le paysage : une vaste zone très plate d'où émergeaient trois, peut-être quatre, énormes blocs dont la matière très dure, granite ou granulite, avait mieux résisté à l'usure des eaux que les roches environ-

nantes. Le mont Tombe, qui deviendra le Mont Saint-Michel, était l'un d'eux. Les autres sont Tombelaine, le Mont-Dol et moins nettement Lillemer.

Tombe devait son nom soit au vieux terme celtique « tun », l'élévation, soit au latin « Tumba » que l'on peut traduire par tumulus et tombeau.

Le Mont vu de l'ouest. De tous les côtés le Mont est facile à identifier, tant il est unique. L'intérêt d'en faire le tour est évident : cela permet d'en détailler les éléments. Sur cette photo, à la base du rocher, la fontaine Saint-Aubert, la chapelle Saint-Aubert et la tour Gabriel, construite en 1524. Au sommet, on distingue bien la terrasse du Plomb du Four, sorte de parvis suspendu, devant la façade classique de l'église.

La silhouette du Mont Saint-Michel, en contre-jour, sous un ciel d'orage.

Cette dernière étymologie est séduisante, car une légende rapporte qu'une grosse dalle de pierre, peut-être la couverture d'un dolmen, occupait le sommet du Mont au moment des premières constructions. Il fallut écarter ce bloc. Personne n'était assez fort pour y parvenir.

Ce fut un des premiers miracles du lieu : un petit garçon, douzième fils d'un ouvrier nommé Bain, fit tomber la lourde pierre du bout du pied, là où l'on bâtira la chapelle Saint-Aubert.

Cette région, presque déserte, était faite pour marquer les imaginations médiévales qui considéraient facilement la forêt comme un lieu mythique et sans fin, un chemin de toutes les aventures et de tous les dangers, objet tout à la fois de peur et de fascination. Scissy, aux confins de la terre et de la mer, portait plus que toute autre cette charge magique et, très tôt, des ermites solitaires et pieux, vivant comme des pauvres dans le plus grand dénuement, vinrent lui demander refuge.

Ces hommes consacraient leur vie à la prière, à l'adoration de leur Dieu dans la tradition du monachisme celtique.

La religion de Jésus qui gagnait tout l'Occident avait déjà plusieurs siècles. Autour de la personne unique de la Trinité, le Père, le Fils et le Saint-Esprit, se trouvent rassemblés les anges et les archanges, Michel étant l'un des plus importants parmi ces derniers. L'archange saint Michel, vainqueur de Satan, prince des milices célestes, sera le peseur des âmes au Jugement dernier ! Il fallait un tel personnage pour être le seigneur de ces lieux ! On allait les lui consacrer.

L'arrivée au pied du Mont fait davantage croire au visiteur qu'il se trouve devant une forteresse plutôt qu'au seuil d'un monastère.
Les tours du Roi et de l'Arcade encadrent aujourd'hui l'extrémité de la digue qui vient de Beauvoir.

Aubert, saint évêque d'Avranches, reçoit le message de saint Michel

L'archange saint Michel

Conquise par les Romains une cinquantaine d'années avant la naissance du Christ, la Gaule avait connu plusieurs siècles de paix et de prospérité. A cette période de relatif bonheur, car les historiens pensent aujourd'hui que la domination romaine avait été fort bien vécue par les populations, avait succédé une ère de troubles et de misères marquée par le déferlement des invasions barbares. A l'aube du VIIIe siècle les événements se calmaient un peu et l'église commençait à constituer un rempart au désordre. Tous les hommes pieux n'avaient pas une vocation d'ermites comme ceux qui vivaient sur le mont Tombe et y avaient édifié deux oratoires consacrés à saint Étienne et à saint Symphorie ; certains préféraient le pouvoir et « tenaient » les villes, à la fois chefs du spirituel et du temporel.

C'était le cas d'Aubert, évêque d'Avranches, dont le palais dominait la forêt d'où émergeait le Mont. Le soir il voyait se profiler l'énorme rocher parmi les nuages pourpres et il savait que d'étonnants prodiges y avaient lieu. Bien proches du miracle. Ne disait-on pas que les ermites qui y habitaient se faisaient livrer leur nourriture par un âne qui, tout seul, conduit par Dieu, traversait la forêt de Scissy pour les approvisionner ? Un loup ayant dévoré l'âne fut l'objet d'une condamnation divine et dut le remplacer.

Une nuit, en rêve, Aubert voit saint Michel qui lui enjoint de lui construire un sanctuaire sur le mont Tombe. Saint Michel l'Archange qui est déjà, depuis près de deux siècles, l'objet d'un culte fervent au Monte Gargano en Italie !

La porte du Roy, construite au XVe siècle, est un élément d'importance dans le formidable appareil défensif du Mont. Précédée par la porte de l'Avancée et la porte du Boulevard, elle était dotée d'un fossé, d'un pont-levis et d'une herse. ▸

Les marques de la volonté divine se multiplient : un taureau volé est retrouvé au sommet du Mont, une rosée miraculeuse y épargne une zone circulaire révélant ainsi le plan de l'église désirée par l'Archange.

La rue du Mont serpente le long du rocher pour parvenir au pied du Grand Degré extérieur. Cette rue est bordée par les maisons de la ville, pèlerins et visiteurs peuvent y acquérir des souvenirs, sacrifiant ainsi à une noble et vieille tradition qui date de la préhistoire. De tout temps, en effet, les fidèles se rendant à un sanctuaire ont eu à cœur d'en rapporter un témoignage de leur passage. Au Moyen-Age c'étaient des bucardes que les « miquelots » pendaient à leurs vêtements ou des statuettes de l'Archange en métal qu'ils ramenaient à leurs amis. ▶

VISITE HISTORIQUE
AUBERGE St PIERRE
RESTAURANT
GRILL
BRASSERIE
les Mouettes
A LA SIRENE
SOUVENIRS DU MONT St MICHEL
CREPERIE
LES LUTINS

▲ Au nord-ouest du Mont, la chapelle Saint-Aubert est construite à l'endroit où, selon la légende, tomba une grosse pierre miraculeusement poussée du bout du pied par un enfant. Aucun ouvrier ne parvenait à la déplacer tant elle était lourde, et pourtant elle se trouvait sur l'emplacement qu'il fallait dégager pour construire la première église. ▶

La similitude est étrange avec l'architecture du Monte Gargano, aussi Aubert n'hésite plus, il rassemble une grande foule de paysans et entreprend la construction du premier sanctuaire. L'évêque envoie aussi des émissaires au Monte Gargano quérir des reliques de l'Archange. Lorsque ceux-ci reviennent de leur long voyage, porteurs d'un morceau du manteau rouge de saint Michel et d'un bloc de marbre sur lequel il avait posé le pied, ils ont la grande surprise de retrouver le Mont entouré par les eaux. La mer avait englouti la forêt de Scissy. Le Mont est devenu « au péril de la mer ». La mémoire collective conserve le souvenir d'un raz-de-marée, même s'il est vraisemblable que la submersion des arbres par les eaux fut progressive.

La dédicace à saint Michel eut lieu le 16 octobre 708. Aubert installe aussi douze clercs voués au culte de l'Archange et leur donne des terres de son évêché pour leur permettre de subsister et, sans doute aussi, pour bien marquer leur dépendance de son autorité. Plus tard, si l'on en croit le trouvère Guillaume de Saint-Pair, Aubert construisit aussi une chapelle dédiée à saint Pierre où il se fit enterrer.

Troisième duc de Normandie, Richard Ier fonde l'abbaye

A la mort d'Aubert, le Mont connut une période de sommeil. Au IXe siècle la relative paix carolingienne permit au culte de saint Michel de se répandre et des pèlerinages s'organisèrent vers le sanctuaire dont la renommée croissait. C'est à cette époque qu'Odon de Cluny fit connaître le mont Tombe sous le nom de Mont Saint-Michel.

La prospérité revenue avec Charlemagne disparut avec l'arrivée des Normands. Ces redoutables marins pillards venus de Scandinavie firent régner la terreur sur les côtes nord de la France. Ils enfoncèrent pour un temps le pays dans l'horreur, puis ils se sédentarisèrent. Leur chef, le brigand Rollon, conclut en 911 avec le roi de France Charles le Simple le traité de Saint-Clair-sur-Epte et devint ainsi le premier duc de Normandie. En contrepartie Rollon se fit baptiser.

Les nuits ont le charme du mystère au Mont Saint-Michel plus qu'ailleurs.
A la lumière des projecteurs, la façade sud révèle le détail des logis abbatiaux. ▼

▲ Au-delà des remparts et de l'échauguette, la baie avec la tangue gris-bleue.
Dans le fond les côtes du Cotentin, mais, avant, le rocher de Tombelaine, aujourd'hui désert, sur lequel fut édifié jadis un prieuré du Mont.
Tombelaine, petite tombe, doit son nom à Hélène, la fiancée du roi Arthur, qui y périt.
Objet des convoitises anglaises pendant la guerre de Cent Ans, Tombelaine, bien que fortifié, ne put leur résister.
Propriété du surintendant Fouquet, Tombelaine fut, au XVIIIe siècle, victime de la vindicte de Louis XIV à l'égard de son grand commis. Tout fut rasé.

▲ La fontaine Saint-Aubert est située au nord du Mont, juste sous le petit bois. Cette source était considérée au Moyen Age comme d'origine miraculeuse en un lieu où l'eau potable a toujours manqué. Elle a permis l'installation des premiers religieux.

Calcul ou zèle de néophyte, les ducs favorisèrent l'église et les abbayes. Richard Ier, petit-fils de Rollon, fit un effort particulier pour le Mont situé aux marches de son duché, borne tangible de son domaine face à de puissants voisins. Le duc chassa les chanoines, successeurs des clercs mis en place par Aubert, et les remplaça par des moines bénédictins sous la conduite de Maynard qui venait de l'abbaye de Fontenelle, aujourd'hui Saint-Wandrille.

Maynard sera donc le premier abbé bénédictin du Mont Saint-Michel. Dans la mouvance de Cluny, fondée en 910, la règle de saint Benoît fixe la vie des moines. Richard Ier dans une charte de fondation établit l'organisation du monastère, mais se contredit aussitôt puisqu'il impose son candidat Maynard comme abbé alors que celui-ci aurait dû être élu. En compensation, le duc pourvoit largement aux besoins des hommes de Dieu par des dotations de terres aux riches revenus.

◀ Cet escalier des remparts mène de la Tour Boucle à la Tour du Nord.

L'austère règle de saint-Benoît favorise le rayonnement spirituel et artistique du Mont, sans nuire à son influence politique

Un monastère bénédictin a un chef : l'abbé. Les moines lui doivent une totale obéissance, comme ils sont tenus à la chasteté et à la pauvreté. Leur vie est consacrée à la prière, elle se passe dans la simplicité, la charité. Tout en eux de matines à complies doit glorifier le Seigneur et l'art participe à leur adoration, par la musique, par la beauté de l'église et des bâtiments conventuels.

Justement, la règle exige des moines de vivre dans un monde clos et de nouveaux bâtiments sont édifiés : un réfectoire, une salle de travail, un dortoir, un cellier dans un grand donjon situé au chevet de l'église carolingienne. Toutes ces constructions ont aujourd'hui disparu, mais elles ont permis à la communauté de se renforcer. Surtout, l'oratoire de saint Aubert, trop petit, est remplacé par une nouvelle église - ce sera Notre-Dame-Sous-Terre - de style préroman avec des arcades en plein cintre appareillées de briques et de granite. Le roi de France Lothaire approuva le remplacement des chanoines par les moines bénédictins ce qui affirma l'autorité de Maynard.

Le Mont priait pour lui-même, pour toute la société, pour ses protecteurs et ceux-ci faisaient partie des puissants de l'époque. En premier lieu

le duc de Normandie, mais aussi les grands du royaume, le roi lui-même ou parfois des étrangers. Le Mont recevait avec faste les nobles pèlerins et ceux-ci, pour assurer leur salut ou leur autorité, n'hésitaient pas à se montrer généreux en offrant d'importants cadeaux, voire des domaines ou des terres.

La Tour Boucle est un puissant témoignage du système défensif du Mont où pour la première fois au monde fut utilisée la technique des tours embastionnées, c'est-à-dire en avant des remparts et défendant ceux-ci. On ne fera guère mieux en matière de fortifications jusqu'au XIXe siècle, l'art de Vauban n'étant, pour une grande part, qu'une systématisation de ces procédés.

L'italien Guillaume de Volpiano, protégé du duc Richard II, inspire l'église romane

Faut-il voir un symbole du Bon Pasteur en ce berger et son troupeau sur les prés-salés qui bordent le Couesnon ?

Les terreurs de l'an mille passées, l'Occident respire et prospère. Le nouveau duc de Normandie conçoit de grands projets pour le Mont ; c'est d'une abbaye toute nouvelle qu'il rêve, et pour cela il offre les îles Chausey, des terres, des bois, des bourgs. Les premières fourniront le granite, les autres l'argent, les charpentes, les madriers, les travailleurs. Mais surtout Richard II s'assure les services d'un grand bâtisseur, l'austère bénédictin d'origine italienne Guillaume de Volpiano, grand réformateur, moine de Cluny, abbé de Saint-Bénigne de Dijon puis abbé de Fécamp, qui allie un génie d'architecte à sa grande piété. C'est lui, bien qu'on ne soit pas certain qu'il soit jamais venu au Mont, qui va inspirer l'église romane de l'abbaye, plaçant avec une grande audace la croisée du transept à la pointe même du rocher! Ce choix va contraindre à la construction de nombreuses cryptes et chapelles souterraines pour compenser les déclivités sous les transepts et le chœur. La nef, elle, va se trouver placée sur la première église qui deviendra Notre-Dame-Sous-Terre.

Il fallut un siècle, le XIe, pour construire le monastère roman. Cela ne se fit pas sans catastrophes : incendies et effondrements divers. Les techniques de l'époque furent mises à rudes épreuves ; elles se perfectionnèrent. Les moines travaillaient pour l'éternité, ils n'en avaient que plus de persévérance.

AU MONT, LE XIIE SIÈCLE PORTE L'EMPREINTE DE ROBERT DE THORIGNY

L'abbaye est à présent bien structurée, dans ses bâtiments comme dans son organisation religieuse. Elle va connaître un apogée dans son influence politique avec la grande figure que fut l'abbé Robert de Thorigny (1154-1186), dit aussi Robert du Mont. Cet abbé apparaît comme un homme du roi d'Angleterre Henri II Plantagenêt. Henri II est également duc de Normandie, son mariage avec Aliénor d'Aquitaine en fait le souverain le plus

La tour Gabriel, robuste élément ouest de la défense du Mont, protège l'entrepôt des Fanils. Surmontée tardivement d'un moulin à vent, elle ne doit pas son nom à l'archange Gabriel mais, plus prosaïquement, à Gabriel Dupuy, ingénieur du roi, qui en ordonna la construction. (p.21, 22, 23)

puissant d'Europe en lui donnant autorité sur une bonne partie de la France. Grâce à sa protection, Robert attire au Mont les pèlerins les plus illustres et recrute ses moines dans les meilleures familles.

Archevêques, évêques se succèdent dans l'abbaye. Henri II lui-même y rencontre le roi de France Louis VII. Lorsque Thomas Becket, archevêque de Cantorbéry, est assassiné dans sa cathédrale par des hommes d' Henri II, Robert de Thorigny agit avec diplomatie pour préparer la réconciliation de son souverain avec l'Église qui se traduira par l'humiliation du prince à Avranches, pour la levée de son excommunication.

L'abbé du Mont n'en dira pas un mot dans ses chroniques, soucieux de donner le moins de retentissement possible à l'événement.

Grand administrateur, auteur de nombreux ouvrages, encourageant les arts, toujours prêt à faire profiter de ses conseils avisés les puissants, l'Église et les autres abbayes, Robert de Thorigny assure aussi la prospérité matérielle du Mont Saint-Michel en y attirant des dons et en obtenant la confirmation des titres des propriétés acquises dans le passé.

Robert consolide de tous côtés les bâtiments. La nature même du Mont, les pentes, le climat, rendent tout fragile et l'esprit pratique de l'abbé évite bien des problèmes. Il construit enfin une façade pour l'église, entourée de deux tours comme on en voit aux cathédrales.

AU TEMPS DE PHILIPPE-AUGUSTE, L'ABBAYE, AVEC LA «MERVEILLE», DEVIENT UN JOYAU ARCHITECTURAL

Après la mort du roi d'Angleterre Richard Cœur de Lion, le roi de France Philippe-Auguste conquiert la Normandie. Pendant les opérations, les Bretons alliés des Français incendient en 1203 le Mont et, sans parvenir à s'en emparer, y causent d'importants dégâts. Les fortifications, une partie de l'abbaye, de nombreuses maisons de la ville sont détruites. Philippe-Auguste parvenu à ses fins, la victoire de Bouvines viendra bientôt, souhaite se réconcilier avec le Mont dont l'influence est très grande sur toute la Normandie. Il fait parvenir à l'abbé Jourdain une très importante somme d'argent qui va permettre la construction d'un nouvel ensemble architectural dont rêvent les moines, dans le style gothique : ce sera la « Merveille ».

Cet ensemble de six éléments sur trois niveaux est unique au monde. Les contraintes du rocher, le respect de l'organisation bénédictine, le génie des bâtisseurs se sont unis pour donner naissance à l'un des plus grands chefs-d'œuvre du patrimoine humain.

La crypte Saint-Martin est située sous le transept sud de l'église. Sa construction a été rendue nécessaire par la volonté de Guillaume de Volpiano de placer la croisée du transept de l'église abbatiale à la pointe du rocher. Il fallait rattraper les pentes pour disposer d'un sol plat. Le transept nord sera construit sur la crypte des Trente Cierges, le chœur sur la crypte des Gros Piliers, la nef sur Notre-Dame-Sous-Terre.

Le Grand Degré intérieur, décor des fastueuses réceptions pour les visiteurs de marque, pouvait également servir, en cas de besoin, d'ultime espace de défense.
Son ascension n'avait rien d'une promenade pour les assaillants soumis aux tirs des défenseurs retranchés sur des ponts.

A la base, deux robustes salles soutiennent l'ensemble : le Cellier à l'ouest, où sont entreposés les vivres, l'Aumônerie à l'est où sont hébergés et nourris les pèlerins pauvres. Au deuxième niveau la salle des Chevaliers - scriptorium servant au travail des moines - et surtout la salle des Hôtes sont des joyaux sans pareil. A l'étage supérieur, le Cloître, jardin en plein ciel, dominant la salle des Chevaliers et le Cellier, ainsi que le Réfectoire, construit sur la salle des Hôtes, et l'Aumônerie complètent l'édifice. La salle des Chevaliers, malgré la règle de saint Benoît, est dotée de deux énormes cheminées qui permettent aux moines de bénéficier d'un certain confort. Il faut

▲ Notre-Dame-Sous-Terre. Au fond de ce sanctuaire du Xe siècle, le mur de type cyclopéen visible derrière l'autel est peut-être un vestige de l'église construite par saint Aubert. C'est le cœur du Mont Saint-Michel.

Le logis de Robert de Thorigny. ▼

La salle de l'Aquilon, construite au XIIe siècle, était l'Aumônerie romane. C'est à sa situation septentrionale qu'elle doit de porter le nom d'un vent du nord.

avoir vécu au Mont, avec la froide humidité qui monte en permanence de la mer, qui suinte des murs, pour comprendre que la simple survie des moines exigeait cet accommodement. Cette salle comprend trois travées délimitées par deux rangées de colonnes ornées de chapiteaux à feuillages ; elle doit son nom à l'ordre des Chevaliers de saint Michel fondé par Louis XI. La salle des Hôtes où les moines recevaient les visiteurs de marque ne compte qu'une seule rangée de fines et élégantes colonne ; il faut l'imaginer décorée de tapisseries, d'émaux, de vitraux

Le Cloître du Mont est unique. Au troisième étage à l'ouest de la Merveille, il est au même niveau que le Réfectoire et il suffit de descendre quelques marches pour y accéder en venant de l'église. D'ici les moines dominaient la mer, mais celle-ci n'est visible que par trois ouvertures donnant sur le couchant qui auraient dû être les portes de la salle Capitulaire. Celle-ci n'a jamais été construite et c'est peut-être heureux car ces trois baies que l'administration des Monuments Historiques a fermées par des vitres ont un rôle très important : elles permettent à la Merveille de respirer, elles sont un lien avec la vie des hommes, la nature.

et de tableaux qui en faisaient un décor digne des rois et des princes. Rare confort : des latrines avec chute directe dans les jardins, épargnaient aux grands de ce monde de rappeler devant les autres leur humaine condition. Le Réfectoire est une pièce admirable de légèreté que de très hautes et étroites fenêtres baignent d'une douce et uniforme lumière. Les moines y prenaient leurs repas en écoutant les textes sacrés lus depuis la chaire par un des leurs.

Le cloître est aérien, par sa disposition, mais aussi par la grâce de son architecture. Pour éviter de peser trop lourdement sur les deux salles qui le séparent du rocher les bâtisseurs ont fait appel à toutes les ressources de la technique du temps. Pour garder la solidité de l'ensemble tout en affinant au maximum les colonnes, celles-ci sont disposées en quinconce, originalité du meilleur effet.

Au nord de l'église, le Cloître est devant le Réfectoire dont le fronton triangulaire soutient les deux cheminées venant de la salle des Hôtes. Ce jardin suspendu est de forme trapézoïdale. Les colonnettes à l'origine en lumachelle étaient sans doute anglaises, mais, lors de la restauration, il fallut les changer presque toutes. Elles sont aujourd'hui en poudingue pourpre du plus bel effet. Leur disposition en quinconce, esthétiquement très réussie, a permis aux bâtisseurs d'accroître la solidité de l'ensemble.

◀ ▲ Les écoinçons du cloître, comme le fait remarquer Alain Dag'Naud dans son ouvrage « La construction du Mont Saint-Michel », ont été achevés en 1228, année de la canonisation de saint François.

Ceci explique le thème omniprésent de la nature, des plantes, des animaux, dans ces sculptures en calcaire de Caen. Ces ciselures sur pierre sont tout simplement belles.

Le Promenoir des Moines date du XIIe siècle. Son nom incline à penser qu'il faisait office de cloître avant la construction de la Merveille. A l'origine il était voûté en arêtes, mais, après

une destruction partielle, les ogives y furent utilisées pour la première fois au Mont, signe précurseur des temps gothiques.

1

1 : Le Réfectoire vu de la porte donnant sur le Cloître. A l'est de l'étage supérieur de la Merveille, au-dessus de la salle des Hôtes, les architectes ont recherché la légèreté et la sérénité. A l'exception des deux verrières du fond de la salle, aucune fenêtre n'est visible et pourtant la lumière vient de partout. De multiples ouvertures, hautes et étroites, sont cachées dans les murs épais qu'elles allègent.

2 : La salle des Chevaliers doit son nom à l'ordre des Chevaliers de saint Michel créé par Louis XI. En fait c'était la salle de travail des moines, le scriptorium, là où ils se livraient à des travaux de copies, d'enluminures et d'étude des textes anciens.
Deux grandes cheminées permettaient d'entretenir une relative chaleur en combattant le froid humide qui montai de la mer. Deux rangées de solides colonnes ornées de feuillages divisent l'espace en trois travées. Les voûtes en croisées d'ogives soutiennent le cloître qui se trouve juste au-dessus.

3 : La salle des Hôtes, comme son nom l'indique, servait à recevoir les visiteurs de marque. Située à l'est du deuxième étage de la Merveille, elle se trouve sous le Réfectoire et sur l'Aumônerie. Une seule rangée de fines colonnes, de larges ouvertures, donnent un espace où l'on se sent bien, où l'on a conscience de sa richesse mais aussi du voisinage de Dieu et de l'éternité. Il est peu de lieux au monde marqués de tant de signification par leurs bâtisseurs !

2

3

Avec le chœur, le style flamboyant allait aussi marquer le Mont d'un chef d'œuvre

L'histoire du Mont est extrêmement complexe, celle de sa construction aussi. Cette monographie ne peut en garder que les lignes de force, l'essentiel. Il n'est pas possible de donner la longue liste des abbés, ni celle des pèlerins illustres, d'entrer dans les détails des rivalités, voire des conflits, qui ont marqué ces lieux. Des logis abbatiaux furent construits, des bâtiments pour les moines et les hommes d'armes, des remparts. La ville se développa. La communauté s'organisa, ses biens devinrent plus importants. Quant à l'influence du Mont, elle connut des hauts et des bas selon la personnalité des abbés.

La Guerre de Cent Ans fut une période difficile au Mont qui sut pourtant bien résister. C'est essentiellement de cette époque que date la transformation de l'abbaye en citadelle imprenable, véritable résumé de toutes les techniques de fortification médiévales. Pour comprendre l'enjeu moral représenté par le Mont Saint-Michel dans le conflit, il faut se rappeler que c'est saint Michel qui apparut à Jeanne la bonne Lorraine,

L'est de l'Abbaye de nuit. A gauche, les quatre hautes et étroites verrières éclairées de Belle-Chaise. A droite, les trois étages de la Merveille, flanquée de la Tour des Corbins, tandis qu'au centre les deux tourelles de la barbacane dominent le Grand Degré extérieur.

Jeanne d'Arc, pour lui dire d'aller bouter l'Anglais hors de France. Le dernier cri de la Pucelle sur le bûcher de Rouen n'est-il pas : « Saint Michel, saint Michel ! » ?

La façade ouest de la Merveille montre bien l'intention qu'avaient les moines de construire un nouvel ensemble sur l'emplacement des jardins. Les portes de communication existent déjà. Tout en haut, au niveau du Cloître, ce sont les trois ouvertures qui auraient dû ouvrir sur la salle Capitulaire. En bas, une porte donne sur le Cellier tandis qu'un peu partout les architectes avaient prévu des raccordements avec les futures constructions. A l'angle nord-ouest le chartrier contenait les précieuses archives de l'abbaye.

Le Mont était pourtant un relatif havre de paix, en dépit de toutes ces convoitises, puisque c'est le refuge que choisit le connétable de France, Bertrand Du Guesclin, pour son épouse Tiphaine Raguenel pendant qu'il guerroyait.

En 1421 le chœur de l'église s'effondre ; ce sera le cardinal d'Estouteville, abbé commendataire du Mont, qui entreprendra sa reconstruction en 1446. Il fallait construire sur des bases solides, aussi les travaux commencent-ils par la crypte des Gros-

La façade nord de la Merveille révèle ces contreforts massifs qui montent du jardin pour assurer la solidité de l'ensemble.

Piliers. Un point constant dans l'histoire du Mont fut la lutte contre les dégradations du temps et du climat, aggravées par les conditions bien particulières au rocher. Cette crypte des Gros Piliers sert à « rattraper » la pente pour construire sur un sol devenu plat. L'architecture du chœur est d'une rare pureté : tout y est verticalité, élégance, lumière ! Il fallut plus d'un demi-siècle pour finir le chantier puisque c'est Guillaume de Lamps qui l'acheva après 1500.

Les pèlerinages populaires au Mont : témoignages d'une quête sans fin de la chrétienté médiévale

Les XIe et XIIe siècles voient apparaître les Croisades, guerres saintes déclenchées par l'ensemble du monde chrétien pour libérer les lieux saints, en particulier Jérusalem et le tombeau du Christ, de la domination musulmane. Un des plus célèbres pèlerins du Mont, Louis IX, saint Louis, trouvera la mort sous les murs de Tunis en 1270 lors de la 8e Croisade.

Les Croisades ont redonné aux Euro-péens le goût des grandes migrations. Le Mont est devenu une abbaye puissante et de grande notoriété, les pèlerins y affluent de toute la chrétienté. Même si ce n'est pas Saint-Jacques de Compostelle, les itinéraires s'organisent. Il faut en effet recevoir les foules au monastère, mais celles-ci doivent aussi se loger et se nourrir tout

La tour des Corbins, c'est-à-dire des corbeaux, relie les trois étages de la Merveille entre eux. Elle abrite un escalier en colimaçon qui devait servir de refuge aux sinistres oiseaux qui ont toujours apprécié les bords de mer.

Cette vue, prise de la galerie extérieure dominant les chapelles rayonnantes du chœur, montre une partie de la baie et la tangue gris-bleue que la mer recouvre aux hautes eaux.

La façade est de la Merveille et la tour des Corbins. Un des plus beaux exemples de l'élan de l'architecture gothique. Ce haut mur, ces longs contreforts sont tout en grâce et légèreté, la pierre s'affranchit ici de l'universelle gravitation et se tourne vers le ciel ! La Merveille a été construite pour partie avec l'argent de Philippe-Auguste qui voulait se faire pardonner les destructions de ses alliés Bretons en 1203. En moins de vingt ans sera édifié ici un des plus grands chefs-d'œuvre du patrimoine humain. Tout en haut le Réfectoire, au milieu la salle des Hôtes, puis en bas, prenant appui sur le roc, L'Aumônerie. A gauche la tour des Corbins abrite un escalier qui dessert l'ensemble. ▸

Façade sud de l'Abbaye. Le clocher, surmonté de sa flèche, domine le prieuré, la chapelle Sainte-Catherine des Degrés, les logis de l'abbé et la bailliverie derrière lesquels se trouvent le Grand Degré intérieur conduisant de l'entrée au Saut-Gauthier.

au long de leur route, ce qui n'est pas toujours facile. Les pèlerins, voyageurs de Dieu, sont certes respectés, mais on les craint aussi car ces hordes sont parfois peu argentées et indisciplinées ; elles sont toujours une menace d'épidémie. Les conditions sanitaires médiévales sont déplorables. A la campagne on ne se lave pas, peut-être se baigne-t-on nu l'été dans les ruisseaux, pas de latrines, la nourriture est rare, peu variée, mal conservée, les sous-vêtements sont pratiquement inexistants et les vêtements parfois à l'état de loques.

Ces hommes surtout, ces femmes rarement, ces enfants parfois avancent pieds nus, un baluchon au bout d'un bâton, avec pour tout viatique quelques piécettes cachées dans la ceinture. Ils avancent vers la grève tant désirée, vers cet endroit où ils pourront s'écrier « Mont-joie ! » en apercevant la pyramide des mers, but de leur voyage, alors que les attend une dernière épreuve : la traversée des sables mouvants.

Si le Mont a bien résisté au péril de la mer, il n'en a pas toujours été ainsi des hommes, et nombreux sont ceux qui se seront noyés dans ces parages. La baie

manque sous le pied et vous engloutit. La terreur des sables est ancrée dans le cœur des pèlerins et des Montois. Bien sûr, ces derniers connaissent les lieux et guident les autres, mais tout évolue si vite ici, et puis la brume qui s'abat en quelques minutes, sans prévenir, trompant les plus aguerris !

Parvenus au monastère, les pèlerins peuvent enfin se reposer, prier, offrir à Dieu, et aux moines, l'obole dont ils sont porteurs, participer aux cérémonies religieuses, parfois grandioses, qui louent le Seigneur et son archange saint Michel. C'est à travers lui qu'on intercède, qu'on obtient une grâce, un pardon, une guérison. Les plus fortunés font des dons importants : une terre, des reliques... en échange parfois de la promesse d'être enterrés au Mont après leur mort.

Avant de revenir chez lui le pèlerin pourra acquérir des souvenirs, vieille et noble tradition commune à toutes les civilisations, qui remonte aux plus anciens sanctuaires de la préhistoire. Au Moyen Age ce seront le plus souvent des coquilles de bucardes que les marcheurs de Dieu accrochent à leurs vêtements ou des statuettes de métal qui témoigneront de leur exploit à leur retour.

du Mont Saint-Michel, très vaste, très plate, connaît des marées de plus de douze mètres d'amplitude : presque les plus fortes du monde. En période de hautes eaux le danger est très grand car en six heures de temps l'eau couvre ou découvre une superficie de 40 000 hectares. Le flot va « à la vitesse d'un cheval au galop » et malheur à celui qui se laisse rejoindre par lui.

Trois rivières se jettent dans la baie, la Sée, la Sélune et le Couesnon, les bras sont nombreux, changeants, certains sont souterrains, et tout ce brassage d'eau mine le sol constitué d'une vase glissante, la tangue, qui soudain

De tous les pèlerinages, les plus étranges furent ceux des enfants, des pastoureaux. Le phénomène se manifesta pour la première fois en 1333 et se poursuivit jusqu'à la Révolution avec une apogée à la fin du Moyen Age. A l'origine, des enfants recevaient un message de Dieu qui leur enjoignait de se rendre au Mont, d'entraîner avec eux leurs camarades, leurs voisins et d'aller y prier saint Michel.

Ces jeunes venaient de toute la France, de l'étranger aussi, d'Allemagne, des Flandres, du Midi. Parfois ils étaient envoyés par leurs villes, leurs parents, petits messagers chargés peut-être d'obtenir de l'Archange d'éloigner la peste de leurs proches.

Un jour de soleil en hiver. Le ciel est bleu, à peine semé de quelques nuages. Vus des jardins, le clocher, la flèche, la façade ouest de la Merveille et son avancée du Chartrier donnent une image de paix, de sérénité, d'éternité. ▼

Ces pèlerinages étaient perçus au départ comme de grandes fêtes, mais ils ne finissaient pas toujours aussi bien. Ces petits garçons, pour la plupart de huit à douze ans, quittent parfois pour de longs mois leurs parents ; ils se retrouvent libérés des contraintes quotidiennes, de la monotonie des jours ; ils forment une longue procession portant les étendards de leurs seigneurs, des effigies de saint Michel ; ils dorment dans des granges l'hiver, bivouaquent en plein air l'été.

◀ La citerne des Grands Degrés.

Des éléments moins recommandables se joignent souvent à eux, ils deviennent vite batailleurs, pilleurs quand on ne leur donne pas assez à boire et à manger. Pour Lucien Bély dans « Le Mont Saint-Michel, monastère et citadelle », le départ de ces enfants constitue une véritable révolte contre leurs parents, ce qui est vraisemblable. N'empêche, il fallait du courage pour affronter l'inconnu et tous ses dangers, d'ailleurs la mortalité était grande et nombreux furent ceux qui ne revirent jamais leur village!

◀ La façade classique de l'église, achevée en 1780, est la seule construction d'importance entreprise par les Mauristes. Venus s'installer au Mont en 1622, les moines de la congrégation de Saint-Maur n'avaient ni les moyens financiers, ni le désir de se lancer dans de grands travaux architecturaux. Les temps étant devenus plus sensibles au confort, ils cloisonnèrent souvent les belles, mais austères, salles du Moyen Age, ce qui les fit accuser de vandalisme. En fait, soyons leur reconnaissant de ne pas avoir été trop entreprenants car ils auraient pu se livrer à des destructions irréparables, comme cela s'est fait en beaucoup d'endroits à une époque où les arts médiévaux étaient méprisés. Une partie de la nef s'étant effondrée, ainsi que la façade romane flanquée de deux tours qui dataient de Robert de Thorigny, les pères Mauristes raccourcirent l'église de trois travées et édifièrent une façade classique, dans la mode de la fin du XVIIIe siècle, qui se marie bien avec le reste du Mont.

Avec les Mauristes, le Mont oublie la gloire pour la science et le recueillement

La fin du Moyen Age correspond à une période de déclin pour les abbayes. Un peu partout, la règle de saint Benoît est oubliée et les moines perdent leurs vertus. Les abbés, commendataires, c'est-à-dire ne résidant plus sur place, mais administrant de loin le monastère comme un bien dont ils encaissent les revenus, sont plus soucieux de leurs rentes que de la pauvreté, de la chasteté, de la prière. Le Mont n'échappe pas à la loi générale et connaît une période de décadence. Au début du XVIIe l'Abbaye fut donnée à l'abbé de Guise qui, tout jeune, subissait l'influence d'une famille très pieuse. Il demanda aux Mauristes, de la congrégation de Saint-Maur, de réformer le Mont et ceux-ci s'y installèrent en 1622, plus soucieux de piété et de travaux d'érudition que de faste et d'architecture. Les Mauristes étaient pauvres, ils n'avaient donc pas les moyens d'entretenir un tel patrimoine en bon état, ils aimaient leur confort ce qui les poussa à morceler en pièces douillettes les grandes salles inconfortables du Moyen Age. Le Mont devint méconnaissable.

Le seul grand apport architectural des Mauristes est la façade de l'église abbatiale achevée en 1780, que les visiteurs peuvent encore voir aujourd'hui. Une partie de la nef s'étant effondrée ainsi que la façade flanquée de tours de Robert de Thorigny, les nouveaux occupants raccourcirent l'église et édifièrent une façade classique qui, au demeurant, se marie bien avec les autres bâtiments. A l'emplacement des anciennes travées se trouve le Plomb du Four, sorte de parvis suspendu qui domine la Baie.

Il n'y avait plus que douze moines au Mont en 1790 lorsqu'un décret interdit les ordres religieux. La Révolution mit ainsi fin à huit siècles de présence monastique.

▲ Le transept sud de l'église est voûté de pierre.
C'est une des manifestations les plus anciennes de cette technique dans l'art roman.
A l'origine le transept nord devait être identique, mais celui-ci a été diminué de longueur pour permettre la construction du cloître.

Le côté nord de la nef romane a été construit au XIIe siècle. Il est élégant mais robuste. Il faut dire que cette partie de l'église s'était effondrée pendant un office en 1103, les moines ont donc joué la sécurité. ▼

Les colonnes du chœur, cernées par le déambulatoire, montent droites jusqu'au niveau des tribunes où elles se rejoignent par une arcature brisée à la ligne d'une grande pureté. ▶

Un rôle moins glorieux du Mont : celui de prison

Très tôt le Mont apparut comme un lieu propice à la détention. Ce fut Robert de Thorigny qui organisa au XIIe siècle les premiers cachots souterrains. Il s'agissait de véritables oubliettes où l'abbé, qui avait droit de justice, pouvait faire disparaître qui bon lui semblait sur son domaine. Enjeu de bien des rivalités et de bien des batailles, le Mont abrita de très nombreux prisonniers pendant la guerre de Cent Ans. On libérait contre rançon ce qui n'incitait certes pas à la clémence, mais avait néanmoins l'intérêt de donner une valeur à la vie des malheureux qui croupissaient au fond des geôles. Leurs gardiens pouvaient perdre beaucoup à trop les maltraiter.

Sous Louis XI le cardinal Balue inventa les « fillettes » avant d'en être la victime. Il s'agissait d'une horrible cage suspendue qui oscillait à chaque mouvement du prisonnier. Deux trous: l'un pour la nourriture, l'autre pour les besoins ; des malheureux y sont restés des années, devenant fous.

Ce supplice servit jusqu'au XVIIIe siècle ; la monarchie trouvait commode ce moyen de se défaire des rebelles tout en incitant à la prudence les esprits frondeurs. Malheur à ceux qui déplaisaient au roi ou aux puissants !

La destruction de la cage fut ordonnée en 1777, mais le XIXe siècle ne laissa plus qu'un rôle au Mont : celui de maison d'arrêt. L'administration pénitentiaire y entassa jusqu'à 700 prisonniers politiques ou de droit commun qui « bénéficiaient » d'un régime d'une horrible sévérité, bien souvent pour des vétilles ou par pur arbitraire. La justice des « bien-pensants » était féroce avec les exclus de la révolution industrielle. De l'époque de François Ier à celle du Second Empire, citons, parmi les détenus les plus célèbres, Noël Béda, Gracchus Babeuf, le chevalier des Touches, Auguste Blanqui et Barbès.

◀ Le chœur gothique flamboyant est tout de verticalité, c'est un élan vers le ciel ponctué par les sobres arcatures ouvrant sur les chapelles rayonnantes, les dentelles de pierre du triforium et les étroites, longues, mais lumineuses, verrières du sommet. C'est après l'effondrement du chœur roman en 1421 que fut décidée la construction de celui-ci qui ne fut achevé qu'après 1500.

Page suivante : La crypte des Gros Piliers, bien que tardive pour le Mont puisqu'elle a été construite entre 1446 et 1450, est peut-être la plus impressionnante de ces salles souterraines que la configuration du rocher a rendu nécessaires pour rattraper la pente et disposer d'un sol plat pour l'édification de l'église. Située sous le chœur flamboyant, cette crypte des Gros Piliers est l'obscurité qui supporte la lumière.

Les temps Modernes sauvent le Mont devenu monument historique en 1874. Les moines reviennent à l'abbaye

Le romantisme mit le Moyen Age à la mode et les beaux esprits recommencèrent à admirer une architecture qu'ils avaient longtemps méprisée. L'amélioration des moyens de communication permit de circuler plus aisément et autorisa la naissance du tourisme. Il fallut se rendre à l'évidence : la France possédait, perdu aux confins de la Bretagne et de la Normandie, un des plus beaux monuments du patrimoine humain et elle le laissait à l'état de ruine. Elle en avait fait une prison immonde où pourrissaient les hommes et les constructions des géniaux bâtisseurs normands.

L'opinion, alertée par les plus grands écrivains, dont Victor Hugo et Théophile Gautier, s'émeut enfin. La prison est fermée en 1863 et un premier pèlerinage du diocèse de Coutances retrouve le chemin du Mont deux ans plus tard. L'État entreprend bientôt des travaux de restauration considérables. Il faut consolider ce qui peut être sauvé, détruire les éléments parasites installés par les Mauristes et l'administration pénitentiaire, retrouver les plans d'ori-

Belle-Chaise doit son nom au trône sur lequel l'abbé rendait la justice. Cette salle, construite par Richard Turstin pendant les années 1250, était l'officialité, le tribunal, de l'Abbaye. ▼

gine, respecter l'esprit des lieux, assembler les pièces d'un puzzle difficile à comprendre tant qu'on ne le connaît pas très bien.

L'architecte Paul Gout y réalise à son tour des merveilles et publie en 1910 un ouvrage sur le Mont qui fait encore autorité, comme celui de Lucien Bély que nous avons déjà cité : « Le Mont Saint-Michel Monastère et Citadelle ».

A l'occasion du Millénaire monastique, en 1965, un premier moine revient, Dom Bruno de Senneville, venant du Bec-Hellouin ; puis, autour de lui, une petite communauté se forme rappelant aux touristes, qui viennent par millions chaque année, visiter la plus belle abbaye du monde, la vocation première de ces lieux bénis.

Les arcs-boutants du chevet étayent dans le ciel cette bâtisse d'apparence fragile, lui conférant grâce et robustesse.

L'escalier de dentelle doit son nom aux ciselures de granit dont il est fait. Rampes, pinacles, tout est profusion dans le gothique flamboyant. C'est par cette passerelle aérienne que l'on accède à la toiture du chœur, point le plus élevé de la visite des guides-conférenciers lorsque les conditions de sécurité le permettent. Un petit escalier en colimaçon part d'une des chapelles rayonnantes à droite du chœur. Le passage ménagé dans une culée du chevet conduit à une première plate-forme au niveau du triforium, puis, enfin, permet d'approcher les bases du clocher. D'ici le regard embrasse toute la Baie.

Le clocher du Mont Saint-Michel est surmonté d'une flèche de style gothique de la fin du XIXe siècle, fortement inspirée par Notre-Dame de Paris.
Cette œuvre tardive est particulièrement heureuse car elle confère à la silhouette du Mont un équilibre et une harmonie qui frappent visiteurs et pèlerins.
La statue en bronze doré de saint Michel terrassant le dragon est du sculpteur Frémiet.
A 156 mètres du niveau de la mer elle domine la Baie et se trouve exposée à tous les orages.
Endommagée par la foudre en 1982 elle a été déposée, restaurée et réinstallée en hélicoptère le 4 octobre 1989.

La Roue frappe l'imagination des visiteurs. Celle-ci a été construite au XIXe siècle par l'administration pénitentiaire, mais le système a beaucoup servi au Mont comme sur tous les grands chantiers médiévaux. Ce n'était pas un supplice, mais un simple moyen d'amplifier la force humaine en utilisant le principe du levier en un temps où les moteurs n'existaient pas. Quelques hommes marchaient à l'intérieur de cette roue que leur poids faisait tourner, permettant à une corde de s'enrouler sur un axe. Le câble tirait ainsi un traîneau grimpant le long d'une pente. C'est l'ancêtre de nos grues.

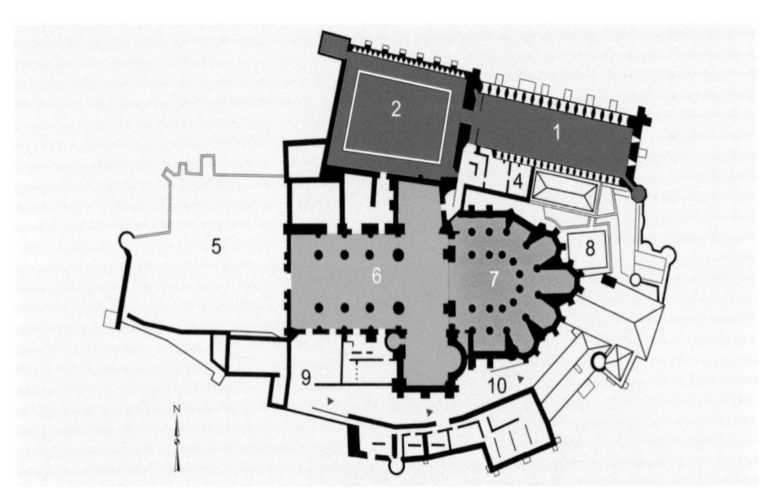

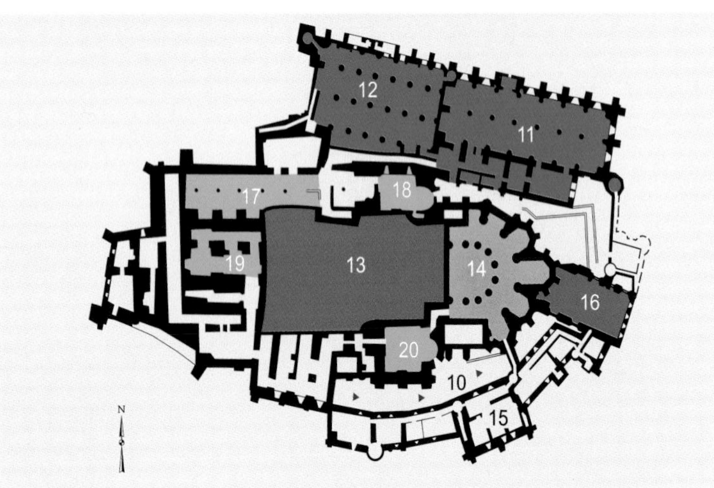

1 Réfectoire
2 Cloître
3 Chapelle Ste Madeleine
4 Cuisines
5 Plomb du Four
6 Nef romane
7 Chœur flamboyant
8 Citerne
9 Saut Gauthier
10 Grand degré intérieur
11 Salle des Hôtes
12 Salle des Chevaliers
13 Rocher
14 Crypte des Gros Piliers
15 Logis abbatiaux
16 Belle Chaise
17 Promenoir des moines
18 Crypte des Trente Cierges
19 Notre-Dame-sous-Terre
20 Crypte Saint-Martin
21 Cellier
22 Aumônerie
23 Salle de l'Aquilon
24 Logis de Robert de Thorigny
25 Tour des Fanils
26 Chapelle Saint-Aubert
27 Fontaine Saint-Aubert
28 Tour du Nord
29 Tour Boucle
30 Bastion
31 Tour Basse
32 Tour de la Liberté
33 Tours du Roy et de l'Arcade
34 Tour Gabriel
35 Avancée et Premier corps de garde

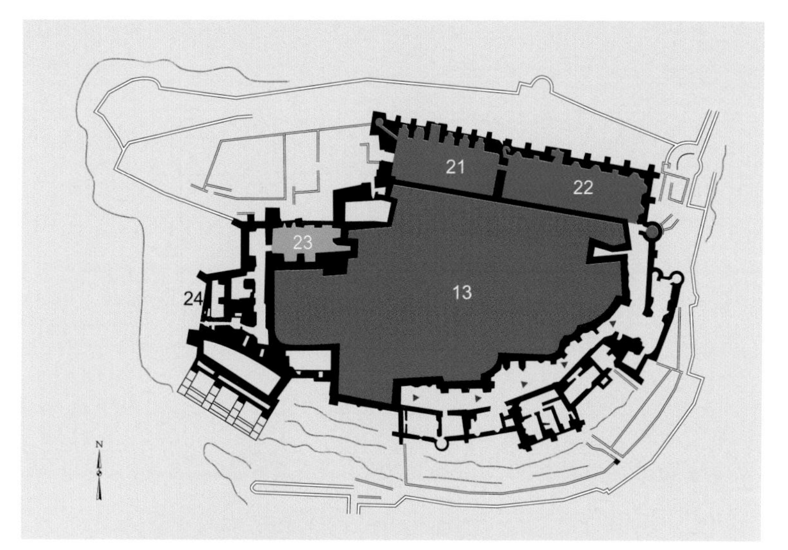

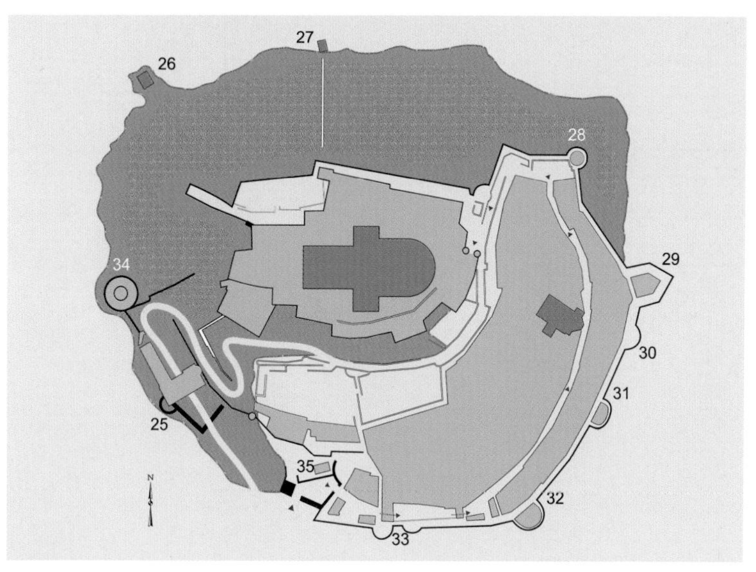

Roman et Préroman

Flamboyant

Gothique

Plans du Mont Saint-Michel

Ce livre a été imprimé et broché par POLLINA, 85400 Luçon - n°. L52995
Imprimé en France